Les merveilles du
Bicarbonate
de soude

Ce livre appartient à

_____

EDIMAG
PRÈS DU PUBLIC

C.P. 325, Succursale Rosemont
Montréal (Québec), Canada H1X 3B8
Téléphone: 514 522-2244
Courrier électronique: info@edimag.com
Internet: www.edimag.com

Couverture: Projet bleu

Dépôt légal: premier trimestre 2007
Bibliothèque et Archives nationales du Québec
Bibliothèque nationale du Canada

© 2007, Édimag inc.
Tous droits réservés pour tous pays.
ISBN : 978-2-89542-221-1

Québec ::   Canada

L'éditeur bénéficie du soutien de la Société de développement des
entreprises culturelles du Québec pour son programme d'édition.

Nous reconnaissons l'aide financière du gouvernement du Canada par
l'entremise du Programme d'aide au développement de l'Industrie de
l'édition (PADIÉ) pour nos activités d'édition.

LISE SOTO

Les merveilles du
Bicarbonate
de soude

EDIMAG
PRÈS DU PUBLIC

NE JETEZ JAMAIS UN LIVRE

La vie d'un livre commence à partir du moment où un arbre prend racine. Si vous ne désirez plus conserver ce livre, donnez-le. Il pourra ainsi prendre racine chez un autre lecteur.

DISTRIBUTEURS EXCLUSIFS

Pour le Canada et les États-Unis
LES MESSAGERIES ADP
2315, rue de la Province
Longueuil (Québec) CANADA   J4G 1G4

Téléphone: 450 640-1234 / Télécopieur: 450 674-6237

Pour la Suisse
TRANSAT DIFFUSION
Case postale 3625
1 211 Genève 3   SUISSE

Téléphone: (41-22) 342-77-40 / Télécopieur: (41-22) 343-46-46
Courriel: transat-diff@slatkine.com

Pour la France et la Belgique
DISTRIBUTION DU NOUVEAU MONDE (DNM)
30, rue Gay-Lussac
75005 Paris   FRANCE

Téléphone: (1) 43 54 49 02 / Télécopieur: (1) 43 54 39 15
Courriel: dnm@librairieduquebec.fr

Table des matières

Conclusion...110

Introduction

Le bicarbonate de soude est le produit polyvalent par excellence. Non seulement il vous permet depuis toujours de désodoriser votre réfrigérateur, vos meubles et vos tapis, mais il se prête également à de multiples autres usages, notamment dans vos recettes (il est à la base de la levure chimique, ou «poudre à pâte») et dans vos corvées de nettoyage. Et ce n'est pas tout!

Avez-vous déjà pensé vous en servir dans votre jardin? Eh oui, en plus de remplacer de nombreux produits de nettoyage nocifs pour l'environnement, le bicarbonate de soude peut servir de fongicide! Pourtant, il est toujours bon en cuisine et sert même à calmer l'acidité gastrique.

Dans ce livre, vous trouverez toutes sortes de trucs et de recettes pour profiter pleinement de ce produit extraordinaire, abordable, polyvalent et écologique.

Qu'est-ce que le bicarbonate de soude?

Au Québec, on a longtemps appelé ce produit «la petite vache». Ce surnom est resté en raison du dessin sur les boîtes de bicarbonate de soude. Parfois, on le surnomme aussi «sel de Vichy», un terme vieilli qui rappelle l'apparente pureté et la finesse du produit.

Qu'est-ce que le bicarbonate de soude au juste? Cette poudre blanche se compose de sels alcalins obtenus à partir de carbonate de soude, d'eau et de dioxyde de carbone (CO_2). Elle est soluble dans l'eau et insoluble dans l'alcool, se décompose graduellement lorsqu'elle est en contact avec de l'air humide et émet du gaz carbonique lorsqu'elle atteint la température de 270 °C (520 °F). Son vrai nom est l'hydrogénocarbonate de sodium, mais on peut aussi l'appeler bicarbonate de sodium. On doit cependant éviter le terme «soda à pâte», traduction boiteuse du terme anglais *baking soda*.

Produit aux mille usages, le bicarbonate de soude est utilisé en alimentation comme poudre à lever. C'est aussi un agent nettoyant, un adoucisseur d'eau, un désodorisant, un agent blanchisseur et un neutralisant d'acidité gastrique. Il est écologique, et ses propriétés antiacides sont à la base de sa capacité à contrer les mauvaises odeurs, celles-ci étant presque toutes, à l'origine, causées par des acides.

Enfin, mentionnons que le bicarbonate de soude est également utilisé comme adoucisseur d'eau, agent de conservation et agent d'extinction dans certains extincteurs.

Les compléments au bicarbonate de soude

Parfois, souvent même, le bicarbonate de soude s'emploie seul ou avec un peu d'eau. Par contre, on peut profiter de ses bienfaits en le jumelant à d'autres produits. En voici une courte liste.

Amidon
Poudre inodore, l'amidon nettoie les tapis et les taches de graisse.

Borax
Ce décapant est très utilisé en bijouterie-joaillerie, car il nettoie parfai-

tement les métaux. On le trouve en pharmacie.

Huiles essentielles

Les huiles essentielles peuvent avoir toutes sortes d'usages. Dans le cas présent, nous nous limiterons à leurs propriétés antiseptiques, antibactériennes et désinfectantes, sans oublier la fraîche odeur qu'elles dégagent. On choisira donc une huile selon la vertu recherchée.

- Les huiles de conifères sont excellentes pour purifier l'air et détruire les germes. Quand le rhume s'installe, c'est le temps d'y faire appel!
- L'huile d'eucalyptus désinfecte et désodorise, en plus de s'attaquer aux taches d'encre, de graisse et de rouille. Elle éloigne ou élimine carrément certains insectes.

- L'huile de citron, en plus de laisser une odeur de propreté dans toute la maison, a de solides vertus antiseptiques et antibactériennes.
- L'huile de lavande peut servir comme fongicide. Elle a de plus des vertus relaxantes bien connues.
- L'huile de *tea tree* (melaleuca) est un antibactérien puissant, un fongicide, un agent antiviral et antiparasitaire.
- L'huile de cannelle a ceci de particulier qu'une seule goutte dégage une odeur aussi forte qu'agréable. Elle dure donc très longtemps. Elle s'attaque aux parasites, aux champignons et aux bactéries avec vigueur.
- L'huile de thym est extraordinaire pendant la saison du rhume. C'est un produit antibactérien puissant.

Jus de citron

Une entreprise fabriquant du savon à vaisselle l'a déjà montré dans une publicité télévisée: coupez un citron en deux avec un couteau sale et, surprise, le couteau devient propre! Comme le vinaigre blanc, le citron désinfecte. Il aide aussi à donner de l'éclat à l'émail, en plus de donner une fraîche senteur à tout ce qu'il touche.

Savon pur

Biodégradable et non toxique, le savon pur permet de fabriquer de nombreux produits de nettoyage sans danger pour l'environnement. Du savon à vaisselle biologique peut très bien faire l'affaire. Pour réduire en liquide un savon pur en pain, on n'a qu'à le râper et à le mettre dans de l'eau (90 g, ou 3 oz, de savon pour environ 3 litres, ou 12 tasses, d'eau). Déposez le tout au four à micro-ondes, faites chauffer à puissance maximale et laissez le savon se dissoudre.

Sel
S'il est à éviter puisqu'il agit sur la pression artérielle, le sel de table a tout de même quelques bons côtés. Son action absorbante et détachante, notamment avec les taches de vin rouge, est reconnue.

Vinaigre blanc
Pour quelques sous, ce produit vous permet de désinfecter votre demeure entière! Il nettoie le verre, enlève les dépôts de calcium, les taches et la cire.

100 % écolo

Biodégradable, non toxique et non polluant, le bicarbonate de soude est 100 % écologique! Il existe même des programmes de recherche visant à l'employer pour éviter la production, notamment dans les centrales électriques thermiques, de gaz provoquant les pluies acides. En effet, le brûlage des combustibles fossiles contient du soufre, comme l'anhydride sulfureux, qui crée des pluies acides une fois relâché dans l'environnement. La désulfuration des gaz de combustion à l'aide de bicarbonate de soude est un procédé d'atténuation de la pollution bien connu, bien qu'il soit coûteux et donc peu utilisé.

Dans la maison par contre, le bicarbonate de soude coûte bien moins cher que tous les produits polluants qu'on utilise pour nettoyer sa demeure. Pour quelques dollars, vous en aurez pour des mois. Ce produit pose d'ailleurs la question de la véritable efficacité de tous ces produits chimiques (acide chlorhydrique, ammoniaque, hydroxyde de potassium, etc.) qu'on emploie tantôt pour les fenêtres, tantôt pour le plancher, tantôt pour la salle de bain...

Bien entendu, il est préférable d'utiliser le bicarbonate de soude avec des produits complémentaires également sains pour l'environnement. Toutefois, sachez que toute diminution de l'usage de produits nocifs, les détergents entre autres, suffit à aider la nature à se refaire une santé. Ainsi, si vous ne supportez pas l'idée de laver votre vaisselle ou votre lessive seulement avec du bicarbonate de soude et du savon pur, essayez ceci: remplacez la moitié de la quantité habituelle de détergent par du bicarbonate de soude et testez les résultats. Voilà un geste simple pour l'environnement qui ne nuira pas, au contraire, à la qualité de vos lavages.

Le coût du bicarbonate de soude

En guise de comparatif, voici trois marques de bicarbonate de soude et leur prix. Sachez que ce produit est toujours le même, peu importe son emballage. Évidemment, on parle ici du bicarbonate de soude pur, pas des produits pour les tapis contenant des arômes, du bicarbonate de soude, de l'amidon et autres.

Marque	Prix*	Quantité	Prix / 100 g
Arm & Hammer**	1,09 $	500 g	0,22 $
Sans nom	4,99 $	3 kg	0,17 $
Nos compliments	0,99 $	500 g	0,20 $

*   Ces prix ont été observés en 2006, au Québec.

**   Il s'agit du bicarbonate de soude pur Arm & Hammer, et non des produits parfumés ou autres dérivés du bicarbonate de soude.

Par comparaison...

Un vaporisateur maison fait de 375 ml (1 1/2 tasse) d'eau, de 125 ml (1/2 tasse) de vinaigre blanc, de 45 ml (3 c. à soupe) de jus de citron et de 45 ml (3 c. à soupe) de bicarbonate de soude vous coûtera aussi peu que 0,30 $, soit 0,05 $ par 100 ml.

Par comparaison, un nettoyant à vitres de marque nationale coûte 3,99 $ pour une bouteille avec vaporisateur de 765 ml, soit 0,52 $ par 100 ml.

Mise en garde

Le vinaigre est un acide, et le bicarbonate de soude, une base. Or, lorsqu'on mélange un acide et une base, il se produit une réaction chimique. La réaction, dans le cas du bicarbonate de soude et du vinaigre, produit du gaz carbonique (CO_2). Ainsi, si on ne met que du bicarbonate de soude dans un contenant de vinaigre, l'effervescence engendrée peut causer tout un gâchis. N'essayez donc jamais de fermer un contenant dans lequel vous mélangez ces deux substances, sinon vous pourriez créer une petite bombe liquide!

Première partie

Utilisation domestique

L'hygiène personnelle

Le bicarbonate de soude peut soulager vos pieds endoloris, vous aider à blanchir vos dents et s'employer comme rince-bouche agissant contre les bactéries. Et ce ne sont là que quelques-unes de ses nombreuses applications en matière d'hygiène personnelle...

Bain de pieds

Pour attendrir des cors aux pieds, préparez une solution d'eau tiède (la chaleur sera ajustée selon votre confort) faite d'une part de bicarbonate de soude et de quatre parts d'eau. Bien que le bicarbonate n'ait pas grand-chose à voir avec cet autre effet, ce bain réduira aussi les démangeaisons en relaxant les muscles de vos pieds. Vous pouvez par ailleurs vous servir d'une telle solution pour soulager des douleurs aux mains.

Dentifrice

Il existe une importante gamme de produits pour blanchir les dents. Certains dentifrices contiennent même une dose plus ou moins significative de bicarbonate de soude. Toutefois, rares sont les produits qui sont aussi efficaces et aussi peu coûteux que le bicarbonate de soude lui-même. Saupoudrez-en un peu (environ 1 ml, ou 1/4 c. à thé) sur une brosse à dents humide et brossez vos dents. Bien sûr, la sensation n'est peut-être pas la plus heureuse, mais c'est aussi le cas de ces produits remplis de peroxyde visant à blanchir les dents. Et c'est drôlement plus simple à utiliser!

Vous pouvez vous brosser les dents avec le bicarbonate de soude une fois par jour ou par deux jours, et employer un dentifrice régulier les autres fois. Mais n'achetez plus de dentifrice «ultra-super-méga-saveur-blanchissant». Un simple produit vendu à bas prix suffira amplement. Par ailleurs, comme le bicarbonate de soude est un abrasif, on y va doucement avec le brossage pour éviter d'abîmer l'émail des dents ou les gencives.

Pour désinfecter dents, gencives et palais, ajoutez quelques grains de sel de mer gris à votre brossage. D'ailleurs, les ulcères buccaux se soignent avec de l'eau et du sel, tout comme les maux de gorge ont bien plus besoin d'un gargarisme à l'eau et au sel que d'un produit bourré d'alcool.

Déodorant

Une petite quantité de bicarbonate de soude sous les aisselles aspirera les mauvaises odeurs et vous gardera au sec. Ce n'est peut-être pas indiqué pour le port de la petite robe noire mais, en d'autres circonstances, ça évite d'appliquer des produits remplis de parfums et d'autres substances irritantes pour la peau.

Nettoyant pour les mains

Rincez vos mains, puis enduisez-les de bicarbonate de soude. Frottez comme à l'habitude et rincez. Non seulement vos mains seront propres mais, en plus, elles seront douces!

Rince-bouche

Plusieurs rince-bouches contiennent de l'alcool. Évitez les produits potentielle-ment dangereux (que vous risquez d'avaler) en les remplaçant par cette recette maison. Mélangez 5 ml (1 c. à thé) de bicarbonate de soude à 125 ml (1/2 tasse) d'eau et à une ou deux pincées de sel de mer. Gargarisez-vous avec une partie de ce mélange pendant une trentaine de secondes. Rincez votre bouche à l'eau. Vous venez de détruire plein de bactéries causant la carie dentaire et la mauvaise haleine!

Shampoing désincrustant

Avec tous ces produits que nous nous mettons dans les cheveux, il est normal que notre chevelure devienne moins éclatante après un certain temps. Faites un shampoing comme d'habitude, puis versez une petite quantité de bicarbonate de soude au creux de votre main. Massez avec vigueur vos cheveux avec le bicarbonate, de trois à cinq minutes, le temps de déloger les impuretés. Rincez, puis appliquez un revitalisant si vous le désirez.

La pharmacie

Plutôt que d'acheter certains médicaments en vente libre, et dont l'utilité est parfois questionnable, vous pouvez concocter des remèdes maison et d'autres produits pharmaceutiques ou cosmétiques avec du bicarbonate de soude. Voici comment...

Antiacide

Cessez d'acheter des produits bon marché qui ne servent à rien (pire: certaines marques éternisent le mal et vous rendent pratiquement dépendants des antiacides). Versez 5 ml (1 c. à thé) de bicarbonate de soude dans 250 ml (1 tasse) d'eau froide et buvez. Le bicarbonate équilibrera l'acidité de votre estomac. Son effet est rapide et durable. Si le goût ne vous effraie pas, ajoutez 5 ml (1 c. à thé) de vinaigre blanc à votre verre d'eau et créez ainsi une boisson effervescente. Pour agrémenter le tout, vous pouvez y ajouter (avec ou sans vinaigre) quelques gouttes de jus de citron ou d'une huile essentielle d'agrumes.

Comment cela fonctionne-t-il? Le vinaigre est un acide, et le bicarbonate de soude, une base. Lorsqu'on mélange un acide et une base, il se produit une réaction chimique: acide et base forment de l'eau et un sel. La conséquence de cette réaction, c'est qu'elle neutralise l'acidité.

Déodorant corporel

Un peu de bicarbonate de soude sous les aisselles ou sous les pieds, et le tour est joué pour contrer les odeurs de la transpiration. Si vous aimez dégager un parfum agréable, déposez une goutte d'huile essentielle de lavande sur un doigt et frottez-le sous votre bras, vos pieds, votre cou ou toute autre partie de votre corps. Attention par contre aux autres huiles essentielles, car certaines peuvent réagir fortement au contact de la peau et causer de l'irritation.

Pommade anti-démangeaisons

Mélangez 45 ml (3 c. à soupe) de bicarbonate de soude à 15 ml (1 c. à soupe) d'eau pure ou d'eau d'hamamélis. L'hamamélis est un arbuste dont l'écorce et les feuilles sont employées pour leur action astringente (resserrement des tissus) et vasoconstrictrice (contraction des fibres musculaires). Appliquez cette pâte sur la surface de la peau, là où ça fait mal, en massant légèrement. Laissez reposer quelques minutes, puis rincez.

Lotion avant et après rasage

Vous pouvez vous servir de la pommade anti-démangeaisons comme lotion avant et après rasage en la diluant dans 250 ml (1 tasse) d'eau tiède. Massez légèrement le visage pendant trois minutes, puis rincez.

Lotion pour peau et cheveux gras

Déposez 30 ml (2 c. à soupe) dans un bol, puis ajoutez 45 ml (3 c. à soupe) de flocons d'avoine. Versez 60 ml (1/4 tasse) de yogourt nature et mélangez. Laissez les flocons d'avoine gonfler légèrement, puis appliquez gentiment cette crème sur la peau ou les cheveux. Attendez environ 60 secondes avant de rincer. Le bicarbonate de soude est un abrasif doux, l'avoine absorbe les graisses et le yogourt nourrit la peau et le cuir chevelu. Une recette simple, mais efficace!

Le nettoyage

S'il y a un endroit où le bicarbonate de soude atteint son plus haut degré d'utilité, c'est bien dans le domaine du nettoyage. On peut s'en servir pratiquement partout: dans la cuisine, dans la salle de bain, dans la salle à manger, sur les planchers, dans la voiture, etc. On évitera seulement d'en mettre sur du bois non vernis et sur de l'aluminium (bien que les chaudrons n'en souffrent aucunement).

Détergent tout usage

Abandonnez tout un pan de votre armoire à nettoyage avec ce détergent.

Avec lui, vous ne polluerez plus en essayant de garder votre demeure propre! Mélangez 125 ml (1/2 tasse) de savon pur à 4 litres (1 gallon) d'eau chaude. Laissez dissoudre ou, pour une action plus rapide, faites dissoudre au four à micro-ondes. Ajoutez 60 ml (1/4 tasse) de jus de citron ou de vinaigre ou 30 ml (2 c. à soupe) d'huile d'eucalyptus (si vous prenez de l'huile essentielle, limitez-vous à 20 gouttes). Saupoudrer 30 ml (2 c. à soupe) de bicarbonate de soude. Mélangez, laissez l'effervescence passer, puis transvider dans une bouteille munie d'un vaporisateur.

Vous pouvez vous servir de ce détergent sur toutes les surfaces, dans tous les recoins de la maison. En fait, vous pouvez employer cette recette de base dans toutes vos activités de nettoyage. Il y a bien des variantes, comme vous le découvrirez en lisant ce qui suit, mais vous connaissez maintenant la base du nettoyage écolo.

Nettoyant pour cuvette

Cessez d'utiliser des produits hautement toxiques pour nettoyer la cuvette de toilette. Votre toilette ne sera pas plus propre parce que vous l'avez aspergée d'acide chlorhydrique. Un peu de bicarbonate de soude (environ 125 ml, ou 1/2 tasse) mélangé à 60 ml (1/4 tasse) de vinaigre, et le tour est joué. Laissez l'effervescence passer, puis frottez avec votre balayette habituelle. L'action du bicarbonate de soude, un abrasif doux pour l'émail, enlèvera les taches, tandis que le vinaigre tuera les germes. Pour une sensation plus agréable, vous pouvez ajouter quelques gouttes de jus de citron ou trois gouttes d'huile essentielle d'agrumes, de pin ou de lavande, selon l'effet (désinfectant ou relaxant) que vous recherchez.

Vaporisateur de salle de bain

Prenez une bouteille de 1 litre (4 tasses) ou moins munie d'un vaporisateur. Remplissez-la au tiers de vinaigre blanc, ajoutez de l'eau, 30 ml (2 c. à soupe) de bicarbonate de soude et quelques gouttes d'huile essentielle au choix — le citron, la cannelle ou le pin, selon l'odeur que vous désirez laisser dans la salle de bain. Bien mélanger le produit avant chaque utilisation (c'est le prix à payer pour un nettoyant écolo!). Laissez le vaporisateur à portée de main dans la salle de bain. Servez-vous en pour nettoyer les contours de la toilette, les miroirs, les fenêtres, le lavabo, etc.

Vaporisateur de douche

Pour éviter la formation de plaques de savon durci ou de calcaire sur les parois de votre douche, mélangez dans un vaporisateur 2,5 ml (1/2 c. à thé) de bicarbonate de soude, 5 ml (1 c. à thé) de borax, 2,5 ml (1/2 c. à thé) de savon liquide, 45 ml (3 c. à soupe) de vinaigre blanc et 500 ml (2 tasses) d'eau chaude. Vaporisez et frottez les carreaux, le bain, le rideau et la porte de douche avec un linge doux ou une éponge.

Éliminez les odeurs

C'est l'une des applications les plus connues du bicarbonate de soude: il absorbe les mauvaises odeurs. On en met donc un peu au fond d'un cendrier, on en saupoudre sur les tapis avant de passer l'aspirateur (en fait, on peut en mettre sur n'importe quel meuble couvert de tissu), on en vide dans la poubelle, on s'en met un peu sous les aisselles, etc. Pour enlever les odeurs de «petits pieds», versez un peu de bicarbonate de soude dans vos chaussures, laissez agir une trentaine de minutes, puis enlevez la poudre avec un petit aspirateur.

Le bicarbonate de soude est très efficace pour contrôler les odeurs de la litière du chat. Mélangez de 125 à 250 ml (1/2 à 1 tasse) de bicarbonate de soude à la litière, et oubliez les odeurs pour quelques jours. Le chien aussi y trouve son compte. Après son bain, asséchez pitou le mieux possible et faites pénétrer dans sa fourrure une bonne quantité de bicarbonate de soude. Massez, puis brossez-le, c'est tout. Pour corriger son haleine, vous pouvez aussi lui offrir un brossage de dents au bicarbonate de soude. C'est tout simple: versez du bicarbonate de soude sur sa brosse préalablement mouillée, puis brossez!

Vos activités sportives et récréatives aussi créent des odeurs à combattre. Si vous allez à la pêche, il se peut que le fumet du poisson se soit incrusté dans votre glacière. Saupoudrez-y du bicarbonate de soude et frottez avec un linge. Pour les cas plus graves, laissez tremper une solution d'eau et de bicarbonate de soude. Ajoutez-y un peu de vinaigre. Utilisez le bicarbonate de soude sur votre équipement de hockey, dans vos souliers de course, dans votre salle d'entraînement, bref, partout où les odeurs peuvent devenir gênantes. Et n'oubliez pas la poubelle à couches de votre petit dernier!

Débouchez les tuyaux

Tout bon plombier vous le dira: il n'y a rien de pire qu'un produit chimique pour essayer de déboucher un tuyau de bain ou d'évier. Le produit agit en surface, mais il n'arrive pratiquement jamais à gruger ce qui obstrue le passage. Il faut aussi dire qu'un tuyau bien bouché exige l'intervention du plombier, du moins d'une personne sachant manœuvrer un furet (aussi appelé fichoir ou ficheur, des mots dérivés de l'anglais *fishwire*).

Pour les obstructions mineures ou en guise d'entretien préventif, le bicarbonate de soude vient prêter main-forte. Versez environ 125 ml (1/2 tasse) de bicarbonate de soude dans l'ouverture du tuyau à déboucher, puis laissez couler 250 ml (1 tasse) de vinaigre blanc pur. Laissez agir environ deux minutes, puis laissez couler un filet d'eau chaude pendant une minute ou deux. Laissez reposer 10 minutes, puis faites un test pour voir si le tuyau est débouché:

remplissez l'évier ou le bain à moitié et laissez l'eau s'écouler. Si le tuyau n'est pas tout à fait débouché, refaites l'expérience une seconde fois. À l'aide d'un siphon, essayez de dégager ce qui bloque en pompant doucement. Bien sûr, si le tuyau est réellement bouché, il vous reste à appeler le plombier... Afin de ne pas en arriver là, nettoyez vos tuyaux de la même manière chaque mois.

De tout pour l'auto

Le bicarbonate de soude agit comme un abrasif doux pour l'auto. Ne vous en servez pas pour laver toute la carrosserie, mais pour des usages locaux, comme ôter des gouttes de sève collantes. Dans 1 litre (4 tasses) d'eau chaude, diluez

15 ml (1 c. à soupe) de bicarbonate de soude. Plongez un chamois dans cette solution et frottez doucement sur la substance à effacer.

Utilisez la même solution pour nettoyer vigoureusement les phares et le pare-brise, qui sont souvent couverts de mouches pendant la belle saison. Enfin, rien de tel qu'un peu de bicarbonate de soude saupoudré dans le cendrier pour enlever les odeurs de cigarette dans la voiture. Vous pouvez aussi en étendre sur les sièges, dans le coffre arrière et sur les tapis avant de passer l'aspirateur: vous obtiendrez presque une odeur d'auto neuve!

Une pâte faite de 125 ml (1/2 tasse) de bicarbonate de soude et de 45 ml (3 c. à soupe) d'eau vous permettra de nettoyer les bornes de la batterie d'auto. Appliquez cette pâte sur les bornes, puis frottez avec une brosse à poils durs. Enlevez les résidus de bicarbonate de soude à l'aide d'un chiffon humide et asséchez les bornes de la batterie, que vous enduirez ensuite d'huile ou de graisse (de la vaseline fera l'affaire). Vous prolongerez ainsi la durée de vie et l'efficacité de la batterie.

Nettoyant pour le chrome

On n'a rarement vu plus facile à faire. Pour faire briller le chrome, vous n'avez qu'à le frotter avec du bicarbonate de soude et un linge doux et propre. Rincez ensuite avec un mélange d'eau chaude et de vinaigre. Séchez.

Nettoyant pour accessoires de beauté

Diluez 60 ml (1/4 tasse) de bicarbonate de soude dans 1 litre (4 tasses) d'eau chaude. Laissez-y tremper vos brosses, bigoudis, éponges et applicateurs de produits de beauté pendant 12 heures, après quoi vous rincerez à fond vos accessoires.

Nettoyant pour accessoires de golf

Enlevez les résidus de gazon et les marques de balle de vos bâtons de golf en frottant avec un linge humide enduit de bicarbonate de soude. La poudre blanche sert alors d'abrasif, mais elle ne rayera ni ne décolorera vos précieux accessoires.

Nettoyant pour meubles de patio

Faites fondre quelques copeaux de savon à la glycérine dans 4 litres (1 gallon) d'eau chaude. Ajoutez-y 125 ml (1 tasse) de bicarbonate de soude, 5 ml (1 c. à thé) de vinaigre blanc ou de jus de citron. Lavez vos chaises de parterre, tables de patio et autres accessoires de jardin à l'aide d'un chamois que vous aurez trempé généreusement dans cette solution.

Nettoyant pour les carreaux de douche
Il est très difficile de nettoyer le coulis entre les carreaux de céramique. Prenez une vieille brosse à dents et trempez-la dans du bicarbonate de soude que vous aurez mélangé avec un peu d'eau.

Nettoyant pour le four
Appliquez du bicarbonate sur une brosse ou une éponge mouillée et frottez. Pour

un résultat optimum, trempez l'éponge dans un mélange fait de 125 ml (1/2 tasse) de bicarbonate de soude, 60 ml (1/4 tasse) d'eau chaude et 15 ml (1 c. à soupe) de jus de citron. Appliquez le mélange sur les parois du four et laissez sécher de 6 à 12 heures. Rincez avec une éponge humide.

Nettoyant pour le poêle

Le bicarbonate de soude est un abrasif doux. Il peut éliminer la graisse résiduelle sans pour autant rayer les surfaces comme celle du poêle. Pour nettoyer votre poêle, utilisez un peu de nettoyant tout usage, comme celui décrit précédemment. Vous pouvez aussi utiliser seulement un peu de bicarbonate de soude et de l'eau.

Nettoyant pour le frigo

En plus d'absorber les mauvaises odeurs, le bicarbonate de soude vous permettra d'enlever toutes ces petites surprises qui salissent l'intérieur de votre réfrigérateur. Vous savez, ce pot de confiture qui a coulé, ces fruits et légumes qu'on a oubliés, ce pot de miel qui a collé... Tout cela produit des cernes à «décontaminer». Avec le nettoyant tout usage ou simplement une éponge imbibée d'eau et de bicarbonate de soude, vous pourrez rendre l'intérieur de votre frigo comme neuf.

Nettoyant pour les planchers

C'est fou tout ce qu'on peut mettre sur un plancher pour le garder propre. Pourtant, un peu d'eau, de vinaigre et de bicarbonate de soude suffisent à décoller les impuretés et à tuer les germes. N'utilisez pas de savon liquide, car il pourrait rendre votre plancher glissant. Pour 8 litres (2 gallons) d'eau chaude, versez environ 60 ml (1/4 tasse) de bicarbonate de soude et environ 125 ml (1/2 tasse) de vinaigre blanc. Bien entendu, pour ajouter une odeur rafraîchissante et éliminer les bactéries, cinq gouttes d'huile essentielle de *tea tree* (melaleuca), de cannelle, de citronnelle, de citron, d'eucalyptus ou de clou de girofle feront l'affaire.

Purificateur d'air

Laissez dissoudre 5 ml (1 c. à thé) de bicarbonate de soude dans 500 ml (2 tasses) d'eau chaude, puis ajouter 5 ml

(1 c. à thé) de jus de citron. Vous pouvez remplacer le jus de citron par trois ou quatre gouttes de votre huile essentielle préférée. Videz cette solution dans un flacon vaporisateur et vaporisez au besoin pour débarrasser l'intérieur de votre demeure de ses petites odeurs nauséabondes.

Assainisseur de jouets

Pour désinfecter les jouets d'enfants et de bébé, de l'eau chaude et du vinaigre blanc suffisent. Si vous désirez un peu plus de tranquillité d'esprit, frottez-les doucement avec une éponge que vous aurez plongée dans une solution de bicarbonate de soude et d'eau: 15 ml (1 c. à soupe) de poudre dans 250 ml (1 tasse) d'eau. Ajoutez 15 ml (1 c. à soupe) de vinaigre blanc pur. Voilà une idée géniale pour tout ce que vous rapporterez de votre prochaine visite dans une vente de garage!

Assainisseur d'accessoires pour animaux

Reprenez la même solution que pour assainir les jouets des enfants afin de nettoyer les cages des animaux. Pour rendre propres les jouets et les écuelles de votre animal de compagnie, laissez-les tremper de 30 à 60 minutes dans une solution composée, en proportion, de 1 litre (4 tasses) d'eau chaude enrichie de 60 ml (1/4 tasse) de bicarbonate de soude. Rincez et essuyez. Bien entendu, ajouter du bicarbonate pur dans la litière du chat, dans les copeaux de cèdre du hamster, dans la cage des oiseaux, des lapins et des autres petits animaux réduit considérablement la prolifération d'odeurs.

Agent polisseur de métal

Mélangez 60 ml (1/4 tasse) de bicarbonate de soude et 500 ml (2 tasses) de cendres de bois (prenez-la dans un foyer, par exemple), de craie ou d'argile. Ajoutez environ 175 ml (3/4 tasse) d'eau afin de former l'agent polisseur. Mettez des gants et frottez, à l'aide d'une éponge, cette pâte contre les métaux à polir, comme le chrome, le cuivre, l'argent ou l'or. Une fois les taches ôtées, rincez les objets et séchez-les avec un chiffon doux, propre et sec.

Vous pouvez vous servir de cette pâte pour lustrer vos accessoires de pêche (hameçons et leurres en métal), nettoyer l'argenterie ou certains bijoux.

Crème pour les comptoirs

Dans un pot refermable, mélangez à part égale du savon liquide neutre et du bicarbonate de soude. Ajoutez une huile essentielle au choix (de 5 à 10 gouttes) et un peu d'eau, au besoin, afin d'obtenir la texture désirée. Mélangez doucement pour homogénéiser le tout. Refermez le pot et employez au besoin. Pour ce faire, plongez le coin d'une éponge dans la crème et nettoyez les comptoirs, les tables, les bibliothèques, etc. Évitez les planchers cependant, car le savon liquide a tendance à rendre les surfaces lisses, voire glissantes.

Effacez les taches d'huile

Sur le béton ou l'asphalte, les taches d'huile sont disgracieuses. Plutôt que de rincer à grande eau, mouillez légèrement la tache, saupoudrez de bicarbonate de soude et frottez avec une brosse à poils durs. Rincez et recommencez au besoin. La tache finira par disparaître.

Un coup de pouce dans la laveuse

N'achetez plus de produits à «fraîche senteur d'air pur extérieur». Le bicarbonate de soude, puisqu'il absorbe les odeurs, fera des merveilles dans la laveuse, en plus de rendre vos vêtements plus propres. Si vous ne souhaitez pas laver uniquement au bicarbonate de soude, remplacez la moitié de votre détergent habituel par du bicarbonate de soude. Vous constaterez vous-même les résultats. Vous pouvez faire de même avec votre assouplisseur liquide car, en plus de nettoyer vos vêtements, le bicarbonate de soude les rend plus doux et soyeux.

Un coup de pouce dans le lave-vaisselle

Encore une fois, pas besoin de laver uniquement au bicarbonate de soude. Vous pouvez, par exemple, remplacer le liquide du pré-rinçage par du bicarbonate de soude ou mélanger du liquide à vaisselle, moitié-moitié, avec cette poudre blanche. L'action abrasive du bicarbonate de soude viendra à bout des pires gâchis! Vos verres seront luisants, et vos ustensiles paraîtront mieux que jamais. Et vous serez enfin débarrassé de la nourriture collée sans pour autant avoir recours à un produit nocif pour l'environnement. Rappelons que la plupart des liquides pour lave-vaisselle contiennent encore des phosphates, un engrais qui étouffe les cours d'eau en y faisant proliférer les plantes.

Le jardinage

La plupart des gens connaissent les usages domestiques du bicarbonate de soude, mais peu se doutent de son efficacité dans le jardin. Or, voilà bien un endroit où l'on utilise beaucoup de produits chimiques, même si certains ont l'air sains pour l'environnement. Voici donc quelques recettes pour bien vous occuper de votre jardin, sans l'empoisonner.

Fongicide rapide

Un fongicide sert à tuer les champignons. En fait, ce qu'il faut retenir à cet effet, c'est que les champignons ont besoin d'ombre et d'humidité pour proliférer. Donc, dans certains cas, il vous suffira de contrôler l'humidité ou de couper quelques mauvaises herbes pour éliminer les champignons.

Vous pouvez fabriquer un fongicide maison en mélangeant 30 ml (1/8 tasse) de bicarbonate de soude à 4 litres (1 gallon) d'eau. Ajoutez au besoin trois gouttes d'huile essentielle de menthe poivrée, de lavande, de *tea tree* (melaleuca), de cannelle ou de clou de girofle. Vaporisez cette solution sur les branches de rosiers, les plants de tomates, les vignes, etc.

Vaporisateur tout usage contre les insectes

Pour cette recette, vous aurez besoin d'un bulbe d'ail complet, d'un oignon, de 15 ml (1 c. à soupe) de piment de Cayenne, de 1/8 tasse de bicarbonate de soude et de 1 litre (4 tasses) d'eau. Versez le tout dans un mélangeur et actionner 2 ou 3 minutes, le temps de créer une soupe homogène. Laissez reposer le mélange au moins une heure, le temps que les solides commencent à se déposer au fond. Filtrez (un filtre à café fait l'affaire) et ajoutez quelques gouttes de savon liquide. Transvidez dans un vaporisateur et pulvérisez partout où vous apercevez des insectes nuisibles. Cette solution aura aussi pour effet d'éloigner les chats.

Vaporisateur pour le jardin

Les tomates et les autres plantes comestibles de votre jardin sont souvent attaquées par de petits insectes, qui s'agrippent en colonie sur les tiges. Réservez-leur une surprise en mélangeant dans un vaporisateur 250 ml (1 tasse) d'eau, 30 ml (2 c. à soupe) de savon liquide et 30 ml (2 c. à soupe) de bicarbonate de soude. Vaporisez après la pluie et au moins une fois par semaine. Vous verrez: les insectes disparaîtront!

Lotion pour les rosiers

La solution fongicide faite de bicarbonate de soude (en page 66) peut venir à bout du champignon noir du rosier. Par contre, diluée, une solution semblable redonnera de la vigueur au feuillage de vos rosiers. Versez 5 ml (1 c. à thé) de bicarbonate de soude dans 4 litres (1 gallon) d'eau. Ajoutez 2,5 ml (1/2 c. à thé) d'ammoniaque claire et 5 ml (1 c. à thé) de sel de mer. Vaporisez sur les feuilles des rosiers et assécher les feuilles avec un linge doux.

Haro sur les coquerelles et les poissons d'argent

Pour vous débarrasser de ces insectes nuisibles sans vous empoisonner, commencez par repérer les lieux qu'ils occupent. Déposez-y ensuite un mélange de cassonade et de bicarbonate de soude (environ une part de sucre pour trois ou quatre parts de bicarbonate). Les coquerelles et les poissons d'argent dévoreront le sucre, qu'ils adorent, tout en s'empiffrant de bicarbonate de soude, fatal pour leur organisme.

Deuxième partie

Utilisation culinaire

En cuisine, le bicarbonate de soude a deux principaux usages. D'abord, il est à la base de la levure chimique, ou «poudre à pâte». Il agit alors comme un ingrédient permettant à une recette de gonfler sous l'action de la chaleur. Il peut aussi agir comme agent de conservation afin de garder les aliments plus longtemps.

Les recettes qui suivent donnent un bon aperçu de ses multiples usages en cuisine. Il y a bien sûr plusieurs desserts, mais pas exclusivement... Vous remarquerez aussi qu'on en utilise très peu, souvent une seule cuillérée à thé (5 ml). C'est tout ce qu'il faut. En mettre davantage ferait ressortir son petit arrière-goût.

Barres de raisins

500 ml (2 tasses)	de raisins secs
250 ml (1 tasse)	de lait concentré
15 ml (1 c. à soupe)	de zeste de citron
15 ml (1 c. à soupe)	de jus de citron
225 g (1/2 lb)	de beurre ramolli
300 ml (1 1/3 tasse)	de cassonade
5 ml (1 c. à thé)	de vanille
375 ml (1 1/2 tasse)	de farine
2,5 ml (1/2 c. à thé)	de bicarbonate de soude
625 ml (2 1/2 tasses)	de gruau d'avoine

Préchauffer le four à 190 °C (375 °F). Dans un chaudron, mélanger les raisins, le lait concentré, le zeste et le jus de citron. Réchauffer en remuant constamment jusqu'à faible ébullition. Réserver. Mélanger le beurre, la cassonade et la vanille jusqu'à l'obtention d'une pâte homogène. Ajouter la farine et le bicarbonate de soude, puis le gruau. Presser la moitié du mélange au fond d'un moule carré de 22 cm (9 po) graissé, puis étendre la préparation de raisins. Presser le reste de la préparation de gruau. Cuire au four de 25 à 30 minutes. Laisser refroidir et tailler en barres.

Donne 20 barres.

Biscuits à la mélasse

625 ml (2 1/2 tasses)	de farine tout usage
7 ml (1 1/2 c. à thé)	de bicarbonate de soude
60 ml (1/4 tasse)	de beurre doux ramolli
15 ml (1 c. à soupe)	de shortening d'huile végétale
125 ml (1/2 tasse)	de cassonade
1	œuf
125 ml (1/2 tasse)	de mélasse
60 ml (1/4 tasse)	d'eau

Préchauffer le four à 250 °F (120 °C). Beurrer une plaque à biscuits. Tamiser la farine et le bicarbonate de soude dans un grand bol. Dans un autre bol, défaire en crème le beurre, le shortening, la cassonade et l'œuf. Incorporer la mélasse et l'eau. Incorporer les ingrédients secs aux ingrédients liquides. Avec une cuillère, déposer le mélange sur la plaque à biscuits et cuire au four 15 minutes.

Donne 10 biscuits.

Biscuits au beurre d'arachide

125 ml (1/2 tasse)	de beurre
125 ml (1/2 tasse)	de cassonade
125 ml (1/2 tasse)	de sucre
1	œuf
125 ml (1/2 tasse)	de beurre d'arachide
2,5 ml (1/2 c. à thé)	de sel
2,5 ml (1/2 c. à thé)	de bicarbonate de soude
250 ml (1 tasse)	de farine
2,5 ml (1/2 c. à thé)	d'extrait de vanille

Préchauffer le four à 180 °C (350 °F).
Dans un bol, défaire le beurre en crème
avec la cassonade et le sucre. Incorporer
l'œuf, le beurre d'arachide, le sel et le
bicarbonate de soude. Ajouter la farine
par petites doses en mélangeant bien
chaque fois. Ajouter l'extrait de vanille.
Faire de petites galettes aplaties à la
fourchette sur une plaque graissée. Cuire
de 10 à 12 minutes.

Donne 18 biscuits.

Biscuits santé

125 ml (1/2 tasse)	de margarine
60 ml (1/4 tasse)	de sucre
60 ml (1/4 tasse)	de cassonade
1	œuf
2,5 ml (1/2 c. à thé)	d'extrait de vanille
250 ml (1 tasse)	de farine de blé entier à pâtisserie
5 ml (1 c. à thé)	de bicarbonate de soude
125 ml (1/2 tasse)	de flocons d'avoine
160 ml (2/3 tasse)	de germe de blé
60 ml (1/4 tasse)	de graines de tournesol non salées

125 ml (1/2 tasse)	de noix de coco râpée, non sucrée
60 ml (1/4 tasse)	de noix de Grenoble hachées
30 ml (2 c. à soupe)	de graines de sésame
30 ml (2 c. à soupe)	de graines de lin

Préchauffer le four à 180 °C (350 °F). Dans un bol, battre la margarine, le sucre et la cassonade. Ajouter l'œuf et la vanille. Dans un second bol, mélanger la farine et le bicarbonate de soude. Incorporer au mélange précédent. Ajouter le reste des ingrédients en remuant. Avec une cuillère, déposer la pâte sur une plaque à biscuits graissée. Cuire 12 minutes.

Donne 30 biscuits.

Brownies au chocolat

1/4 tasse (65 ml)	d'huile végétale
125 g (4 oz)	de chocolat mi-sucré
175 ml (3/4 tasse)	de lait
125 ml (1/2 tasse)	de sucre
1	œuf
300 ml (1 1/4 tasse)	de farine tout usage
2,5 ml (1/2 c. à thé)	de sel
2,5 ml (1/2 c. à thé)	de bicarbonate de soude
5 ml (1 c. à thé)	d'extrait de vanille
125 ml (1/2 tasse)	de pépites de chocolat

Préchauffer le four à 180 °C (350 °F). Faire fondre le chocolat au bain-marie. Mélanger ensemble les autres ingrédients, sauf les pépites de chocolat. Ajouter le chocolat fondu. Mettre le mélange dans un moule carré allant au four. Parsemer les pépites de chocolat sur le dessus du mélange. Mettre au four de 20 à 25 minutes ou jusqu'à ce qu'un cure-dent inséré au milieu du gâteau en ressorte propre. Servir tiède.

Donne 8 brownies.

Carrés aux canneberges

1 sac de 350 g (12 oz)	de canneberges fraîches
250 ml (1 tasse)	de sucre
125 ml (1/2 tasse)	de raisins secs dorés
30 ml (2 c. à soupe)	d'eau froide
15 ml (1 c. à soupe)	de fécule de maïs
250 ml (1 tasse)	de farine tout usage
7 ml (1 1/2 c. à thé)	de bicarbonate de soude
1	pincée de sel
250 ml (1 tasse)	de beurre doux froid
250 ml (1 tasse)	de cassonade
500 ml (2 tasses)	de flocons d'avoine

Préchauffer le four à 180 °C (350 °F) Cuire à feu moyen les canneberges avec le sucre. Réduire en purée avec un pilon. Ajouter les raisins et cuire 2 minutes. Ajouter la fécule de maïs délayée dans l'eau. Laisser épaissir. Couvrir d'une pellicule plastique et laisser reposer au frais. Dans un bol, mélanger la farine, le bicarbonate de soude et le sel. Ajouter le beurre et défaire en mélangeant jusqu'à l'obtention d'une consistance granuleuse. Ajouter la cassonade et les flocons d'avoine. Mélanger. Séparer cette préparation en deux parties égales. Étendre la moitié de la préparation dans un moule rectangulaire de 19 cm sur 27 cm (7 1/2 po sur 11 po). Étendre la préparation aux canneberges sur cette croûte, puis couvrir avec le reste du mélange de farine et d'avoine. Cuire au four pendant 30 minutes. Laisser refroidir avant de couper en carrés.

Donne 8 carrés.

Fondue suisse	
200 g (1/2 lb)	de gruyère
300 g (2/3 lb)	de vacherin
2	gousses d'ail
250 ml (1 tasse)	de vin blanc
15 ml (1 c. à soupe)	de fécule de maïs
30 ml (2 c. à soupe)	de kirsch ou de whisky
1 ml (1/4 c. à thé)	de bicarbonate de soude
1 pincée	de muscade
	Poivre au goût
1	baguette coupée en dés

Râper les fromages. Réserver. Frotter le fond d'un caquelon avec les gousses d'ail. Ajouter le vin blanc et la fécule de maïs. Chauffer. Ajouter le fromage et laisser fondre en remuant sans arrêt. Une fois le mélange homogène, ajouter l'alcool mélangé au bicarbonate de soude. Poivrer, ajouter la muscade et servir immédiatement.

Donne 4 portions.

Gâteau aux flocons d'avoine

300 ml (1 1/4 tasse)	d'eau bouillante
125 ml (1/2 tasse)	de beurre doux ramolli
250 ml (1 tasse)	de flocons d'avoine
250 ml (1 tasse)	de sucre
250 ml (1 tasse)	de cassonade
2	œufs
320 ml (1 1/3 tasse)	de farine de blé entier à pâtisserie
7 ml (1 1/2 c. à thé)	de bicarbonate de soude
2,5 ml (1/2 c. à thé)	de sel
5 ml (1 c. à thé)	de cannelle

Préchauffer le four à 180 °C (350 °F).
Graisser un moule rectangulaire. Mettre
l'eau bouillante, le beurre et les flocons
d'avoine dans un bol. Brasser jusqu'à ce
que le beurre soit fondu. Laisser reposer.
Ajouter le sucre, la cassonade et les œufs
au mélange refroidi. Battre avec vigueur.
Tamiser dans le mélange la farine, le
bicarbonate de soude, le sel et la cannelle. Mélanger. Mettre la pâte dans le
moule et cuire 35 minutes.

Donne 12 portions.

Gâteau poêlé aux pommes

1	œuf
250 ml (1 tasse)	de farine tout usage
1 ml (1/4 c. à thé)	de bicarbonate de soude
15 ml (1 c. à soupe)	d'eau
125 ml (1/2 tasse)	de sucre en poudre
3	pommes pelées, coupées en fines lamelles
30 ml (2 c. à soupe)	de beurre

Battre l'œuf en incorporant la farine à petites doses. Ajouter, entre deux incorporations de farine, le bicarbonate de soude. Mélanger avec l'eau jusqu'à l'obtention d'une pâte consistante. Ajouter le sucre. Incorporer les pommes à la pâte. Faire fondre la moitié du beurre dans une poêle et y verser la pâte. Couvrir et laisser cuire 8 minutes à feu doux. Retirer le gâteau, mettre le reste du beurre à fondre et y remettre le gâteau afin de faire cuire l'autre face. Cuire 7 minutes de plus. Servir chaud.

Donne 4 portions.

Muffins aux carottes et gingembre

625 ml (2 1/2 tasses)	de farine tout usage
250 ml (1 tasse)	de cassonade bien tassée
7 ml (1 1/2 c. à thé)	de bicarbonate de soude
5 ml (1 c. à thé)	de cannelle moulue
2,5 ml (1/2 c. à thé)	de gingembre moulu
2,5 ml (1/2 c. à thé)	de clou de girofle moulu
500 ml (2 tasses)	de carottes râpées
3	œufs
175 ml (3/4 tasse)	d'huile végétale

5 ml (1 c. à thé)	d'extrait de vanille
125 ml (1/2 tasse)	de lait

Préchauffer le four à 190 °C (375 °F).
Dans un bol, mélanger la farine, la cassonade, le bicarbonate de soude, la cannelle, le gingembre et le clou de girofle.
Ajouter les carottes râpées. Dans un
autre bol, battre les œufs avec l'huile végétale, l'extrait de vanille et le lait. Incorporer délicatement les ingrédients
liquides aux ingrédients secs. Remplir les
moules à muffins graissés aux trois quarts.
Cuire 20 minutes ou jusqu'à ce qu'un
cure-dent inséré au centre des muffins en
ressorte propre.

Donne 12 gros muffins.

Muffins salés aux lardons

200 g (1/2 lb)	de lardons
60 ml (1/4 tasse)	de noisettes concassées
250 ml (1 tasse)	de farine
10 ml (2 c. à thé)	de bicarbonate de soude
1/2	sachet de levure
5 ml (1 c. à thé)	de sel
2	œufs
80 ml (1/3 tasse)	de beurre fondu
1	petit yogourt nature
20 ml (4 c. à thé)	de lait

Préchauffer le four à 190 °C (375 °F). Couper les lardons en petits morceaux. Faire griller dans une poêle avec les noisettes. Réserver. Dans un grand bol, mélanger la farine, le bicarbonate de soude, la levure et le sel. Dans un autre bol, battre les œufs. Ajouter le beurre fondu, le yogourt et le lait. Mélanger. Ajouter le contenu de la poêle, graisse comprise. Mélanger. Incorporer les ingrédients secs dans ce mélange. Remplir les moules à muffins et enfourner 20 minutes.

Donne 12 muffins.

Pain à la citrouille

2 tasses (500 ml)	de farine tout usage
2,5 ml (1/2 c. à thé)	de bicarbonate de soude
1	pincée de sel
2,5 ml (1/2 c. à thé)	de cannelle
1	pincée de muscade
125 ml (1/2 tasse)	de sucre
125 ml (1/2 tasse)	d'huile végétale
2	œufs
80 ml (1/3 tasse)	d'eau
250 ml (1 tasse)	de purée de citrouille

Préchauffer le four à 180 °C (350 °F). Dans un premier bol, mélanger la farine, le bicarbonate de soude, le sel, la cannelle, la muscade et le sucre. Dans un second bol, mélanger l'huile, les œufs, l'eau et la purée de citrouille. Incorporer les deux mélanges d'un coup. Façonner une ou deux boules de pain, au goût. Cuire au four 60 minutes ou jusqu'à ce qu'un cure-dent inséré au centre du pain en ressorte propre.

Pain aux bananes

80 ml (1/3 tasse)	de beurre
160 ml (2/3 tasse)	de cassonade
2	œufs
500 ml (2 tasses)	de farine de blé entier à pâtisserie
7 ml (1 1/2 c. à thé)	de bicarbonate de soude
2,5 ml (1/2 c. à thé)	de sel
30 ml (2 c. à soupe)	de lait sur (ajouter une goutte de vinaigre blanc à du lait)
3	bananes mûres réduites en purée
125 ml (1/2 tasse)	de noix de Grenoble hachées

Préchauffer le four à 180 °C (350 °F).
Dans un bol, défaire le beurre en crème.
Ajouter la cassonade et les œufs. Incorporer graduellement la farine, le bicarbonate de soude et le sel. Ajouter le lait, les bananes et les noix. Mélanger. Mettre dans un moule graissé et cuire 60 minutes ou jusqu'à ce qu'un cure-dent inséré au centre du pain en ressorte propre.

Donne 12 portions.

Petits gâteaux son et moka

250 ml (1 tasse)	de café filtré, refroidi
125 ml (1/2 tasse)	de son d'avoine
60 ml (1/4 tasse)	d'huile végétale
15 ml (1 c. à soupe)	de vinaigre blanc
5 ml (1 c. à thé)	d'extrait de vanille
250 ml (1 tasse)	de cassonade
300 ml (1 1/4 tasse)	de farine tout usage
60 ml (1/4 tasse)	de poudre de cacao
5 ml (1 c. à thé)	de bicarbonate de soude
2,5 ml (1/2 c. à thé)	de sel
5 ml (1 c. à thé)	de cannelle

Préchauffer le four à 350 °F (180°C). Dans un grand bol, verser le café sur le son d'avoine. Laisser le son absorber le liquide. Verser l'huile, le vinaigre et la vanille. Ajouter la cassonade et mélanger. Tamiser ensemble dans un autre bol la farine, la poudre de cacao, le bicarbonate de soude, le sel et la cannelle. Incorporer les deux mélanges jusqu'à l'obtention d'une consistance lisse et homogène. Verser dans des moules à muffins. Cuire 30 minutes ou jusqu'à ce qu'un cure-dent inséré au centre en ressorte propre.

Donne 12 gâteaux.

Pouding chômeur au chocolat

250 ml (1 tasse)	de farine
5 ml (1 c. à thé)	de bicarbonate de soude
2,5 ml (1/2 c. à thé)	de sel
45 ml (3 c. à soupe)	de poudre de cacao
175 ml (3/4 tasse)	de cassonade
125 ml (1/2 tasse)	de lait
30 ml (2 c. à soupe)	de beurre fondu
5 ml (1 c. à thé)	d'extrait de vanille
250 ml (1 tasse)	de cassonade
30 ml (2 c. à soupe)	de poudre de cacao
250 ml (1 tasse)	d'eau bouillante

Préchauffer le four à 180 °C (350 °F). Dans un premier bol, mélanger la farine, le bicarbonate de soude, le sel, la première mesure de cacao, la première mesure de cassonade, le lait, le beurre et l'extrait de vanille. Verser dans un moule graissé. Dans un second bol, mélanger la deuxième mesure de cassonade et la deuxième mesure de cacao. Étendre sur la première préparation, puis verser l'eau bouillante. Cuire 45 minutes.

Donne 6 portions.

Quatre-quarts à la crème sure

750 ml (3 tasses)	de farine tout usage
2,5 ml (1/2 c. à thé)	de bicarbonate de soude
1	pincée de sel
750 ml (3 tasses)	de sucre
250 ml (1 tasse)	de beurre doux
6	œufs
250 ml (1 tasse)	de crème sure
5 ml (1 c. à thé)	d'extrait de vanille
	Sucre glace

Préchauffer le four à 180 °C (350 °F). Mélanger la farine, le bicarbonate de soude et le sel dans un grand bol. Dans un autre bol, battre le sucre et le beurre jusqu'à l'obtention d'une consistance lisse et homogène. Dans un troisième bol, battre la vanille, les œufs et la crème sure. Incorporer au mélange de sucre et de beurre. Vider graduellement dans le bol des ingrédients secs. Verser dans un moule rond à charnière de 25 cm (10 po) graissé et fariné. Cuire 85 minutes ou jusqu'à ce qu'un cure-dent enfoncé au centre en ressorte propre. Démouler et laisser refroidir sur une grille. Saupoudrer de sucre glace et servir.

Donne 12 portions.

Queues de castor

45 ml (3 c. à soupe)	de beurre doux
125 ml (1/2 tasse)	de sucre
2	œufs
7 ml (1 1/2 c. à thé)	de bicarbonate de soude
10 ml (2 c. à thé)	de crème de tartre
750 ml (3 tasses)	de farine tout usage
125 ml (1/2 tasse)	de lait
5 ml (1 c. à thé)	d'extrait de vanille
10 ml (2 c. à thé)	de jus de citron
1 litre (4 tasses)	d'huile végétale
454 g (1 lb)	de graisse végétale ou de saindoux

125 ml (1/2 tasse)	de sucre glace
2,5 ml (1/2 c. à thé)	de cannelle moulue

Dans un bol, battre le beurre et le sucre jusqu'à l'obtention d'une consistance homogène. Ajouter les œufs. Dans un autre bol, mélanger le bicarbonate de soude, la crème de tartre et la farine. Dans un troisième bol, mélanger les liquides (lait, extrait de vanille et jus de citron). Incorporer à la cuillère de bois le mélange de farine à la préparation aux œufs en alternant avec les liquides. Couvrir et réfrigérer pendant 6 heures. Sur un comptoir enfariné, façonner 10 boules de taille égale. Abaisser chaque boule pour former des queues de castor (une pâte plus longue que large). Chauffer à feu moyen-fort l'huile et la graisse végétale dans un grand chaudron. Jeter doucement, un à un, les morceaux de pâte dans l'huile. Cuire 20 secondes, retourner et cuire encore 20 secondes. Sortir la pâte de l'huile et éponger les deux surfaces avec un essuie-tout. Saupoudrer de sucre glace et de cannelle.

Donne 10 queues de castor.

Soupe aux morceaux de tomates

30 ml (2 c. à soupe)	de beurre
1 boîte de 796 ml (28 oz)	de tomates en dés (aux herbes ou non)
750 ml (3 tasses)	de lait
	Sel et poivre, au goût
1 ml (1/4 c. à thé)	de bicarbonate de soude

aire fondre le beurre dans un chaudron. Verser les tomates, le lait, le sel, le poivre et le bicarbonate de soude. Faire cuire lentement, à feu doux, en remuant constamment. Servir chaud.

Donne 4 portions.

Conclusion

Bien des entreprises nous rendent malades à force de promouvoir leurs produits nettoyants. Elles nous inventent des bactéries toujours plus féroces, des saletés toujours plus tenaces et des besoins toujours plus grands, tout cela pour que nous achetions leurs produits. Or, on n'a pas besoin de grand-chose finalement pour garder sa maison propre: le bicarbonate de soude et quelques autres ingrédients suffisent à la tâche, tout en sauvegardant en plus notre environnement.

Décidément, le bicarbonate de soude se prête à une multitude d'usages. Et on n'a pas fini de les découvrir. La recherche scientifique s'y intéresse de plus en plus pour contrer certaines formes de pollution. Pendant ce temps, ce produit continue d'être bon dans la cuisine. À part l'eau, on n'aura que rarement vu une substance aussi polyvalente et aussi écologique!

À vous de jouer pour vous en servir et pour diminuer la pollution!